CARLOS FUENTES

Ilustraciones de Ricardo Peláez Goycochea

EL PRISIONERO DE LAS LOMAS

GRUPO
EDITORIAL

BOGOTÁ, BARCELONA, BUENOS AIRES, CARACAS, GUATEMALA, LIMA, MÉXICO, PANAMÁ, QUITO,
SAN JOSÉ, SAN JUAN, SAN SALVADOR, SANTIAGO, SANTO DOMINGO

EL PRISIONERO
DE LAS LOMAS

CARLOS FUENTES

Ilustraciones de Ricardo Peláez Goycochea

CLÁSICOS LATINOAMERICANOS ILUSTRADOS

© Norma Ediciones, S.A. de C.V., 2005
   Av. Presidente Juárez 2004
   Fracc. Ind. Puente de Vigas
   Tlalnepantla, Estado de México
   CP 54090
   México

Primera edición: octubre de 2005

Cuidado de la edición: Lorenza Estandía
Diseño de colección: Lucy Cervera
Diagramación: Felicia Garnett
Impreso en Colombia – Printed in Colombia
Por: D'vinni Ltda.
ISBN: 970-09-1004-0

www.norma.com

A Valerio Adami,
por una historia siciliana

1

COMO ESTA HISTORIA ES INCREÍBLE, MÁS VALE

que comience por el comienzo y siga derechito hasta el fin. Se dice fácil. Apenas me dispongo a empezar me doy cuenta de que empiezo con un enigma. Luego luego las dificultades. Ah qué la chingada. Ni modo: la historia empieza con un misterio; mi esperanza, se lo juro a ustedes, es que al final ustedes lo entiendan todo. Que me entiendan a mí. Ya verán: buena falta me hace. Pero la verdad es que cuando yo entré al cuarto de enfermo del general brigadier Prisciliano Nieves el 23 de febrero de 1960 en el Hospital Inglés entonces sito en la avenida Mariano Escobedo (donde hoy se halla el hotel Camino Real, para orientar a los jóvenes que me escuchan) yo mismo tenía que creer en mi enigma, o lo que me proponía no tendría éxito. Quiero ser entendido. El misterio era de verdad. (El misterio era la verdad.) Pero si yo mismo no me convencía de ello, no iba a convencer al viejo y astuto brigadier Nieves, ni siquiera en su lecho agónico.

Él era general; dicho. Yo era un joven abogado, recién recibido; novedad para mí y para ustedes. Yo sabía todo de él. Él, nada de mí. De manera que cuando abrí la puerta (entreabierta ya) del cuarto privado en el hospital, él no me reconoció, pero tampoco se extrañó. La seguridad de los hospitales mexicanos es bien laxa pero al brigadier nada lo iba a espantar. Lo vi recostado allí en una de esas camas que parecen el trono de la muerte, un trono blanco, como si la limpieza fuera la recompensa que nos reserva la pelona. Nieves se llamaba, pero recostado entre tanta almohada albeante, parecía mosca en leche. Bien prieto el brigadier, las sienes rapadas, la boca larga, rajada y agria, los ojos cubiertos por dos velos gruesos, amoratados. ¿Para qué describirlo, si duró tan poco? Busquen su foto en los archivos de los Hnos. Casasola.

Quién sabe de qué se estaba petateando. Yo pasé por su casa y me dijeron:

—El señor general está muy malo.

—Es que ya está muy grande.

Ni las miré siquiera. Una como cocinera dijo lo primero, una como criadita joven lo segundo. Logré divisar a uno como mayordomo adentro de la casa, y había un jardinero cuidando los rosales afuera. Ya ven: sólo del jardinero pude decir: es un jardinero. Los demás lo mismo podían servir para un barrido que para un fregado. No existían.

El brigadier, en cambio, sí. Montado en su cama de hospital, parapetado por sus cojines, me miró como sin duda miró a la tropa el día en que él solito salvó el honor de su regimiento, del Cuerpo del Noroeste, casi el de la mera Revolución y hasta de la Patria, ¿por qué no?, en el encuentro de La Zapotera, cuando el salvaje coronel Andrés Solomillo, que confundía el exterminio con la justicia, ocupó el ingenio de Santa Eulalia y puso contra el mismo muro de fusilamiento a los patrones y a los criados, diciendo que eran tan malos los amos como quienes los servían.

—Tan malo el que mata a la vaca como el que le tiene la pata.

Dijo esto Solomillo sirviéndose de los haberes de la familia Escalona, dueños de la hacienda, a saber: metiéndose a puños los centenarios de oro encontrados en la biblioteca, detrás de las obras completas de Auguste Comte, y ofreciéndole a Prisciliano: —Sírvase, mi capitán, que a este banquete sólo una vez en la vida nos convidan a los muertos de hambre como usted y yo.

Prisciliano Nieves —corre la leyenda— no sólo rechazó el oro que le ofrecía su superior. A la hora del fusilamiento, se interpuso entre el pelotón y los condenados y le dijo al coronel Andrés Solomillo: —Los soldados de la Revolución no son asesinos ni ladrones. Esta pobre gente no tiene la culpa de nada. Separe usted a los pobres de los ricos, por favor.

Sucedió así, según cuentan: El coronel, furioso, le dijo a Prisciliano que si no se callaba él iba a ser el segundo centro de atracción del fusilamiento de la

mañana, Prisciliano le gritó a la tropa que no mataran a pueblo como ellos, el pelotón dudó, Solomillo dio orden de fuego contra Prisciliano, Prisciliano dio orden de fuego contra el coronel y resulta que el pelotón obedeció a Prisciliano:

—Los soldados mexicanos no asesinan al pueblo porque son el pueblo —dijo Prisciliano junto al cadáver de Solomillo, y los soldados lo vitorearon y se sintieron satisfechos.

Esta frase, asociada desde entonces con la fama, la vida y los méritos del enseguida coronel y paluegoestarde general brigadier don Prisciliano Nieves, seguramente sería grabada al pie de su monumento: EL HÉROE DE SANTA — EULALIA.

Y ahora, aquí vengo yo, cuarenta y cinco años más tarde, a aguarle la fiesta final a mi general Prisciliano Nieves.

—Señor general. Óigame bien. Yo conozco la verdad de lo que ocurrió aquella mañana en Santa Eulalia.

La maraca que sonó en la garganta de mi brigadier Prisciliano Nieves no era el estertor de la muerte, todavía no. En esa penumbra de hospital, mi aliento joven de abogadete clasemediero oloroso a sensén se mezcló con la antigua respiración de sonaja, olorosa a cloroformo y chile chipotle, de don Prisciliano. No, mi general, usted no se me muere sin firmar aquí. Por su honor, mi general, usted nomás piense en su honor y luego muérase tranquilo.

2

Mi casa de Las Lomas de Chapultepec posee una virtud por encima de todas: demuestra las ventajas de la inmortalidad. Yo no sé cómo sería apreciada cuando fue construida, allá por los albores de los cuarenta. La Segunda Guerra trajo mucho dinero a México. Exportamos materias primas a precios altos y los campesinos entraban de rodillas a las iglesias pidiendo que la guerra no se acabara. Algodón, henequén, verduras, minerales estratégicos; todo se fue parri-

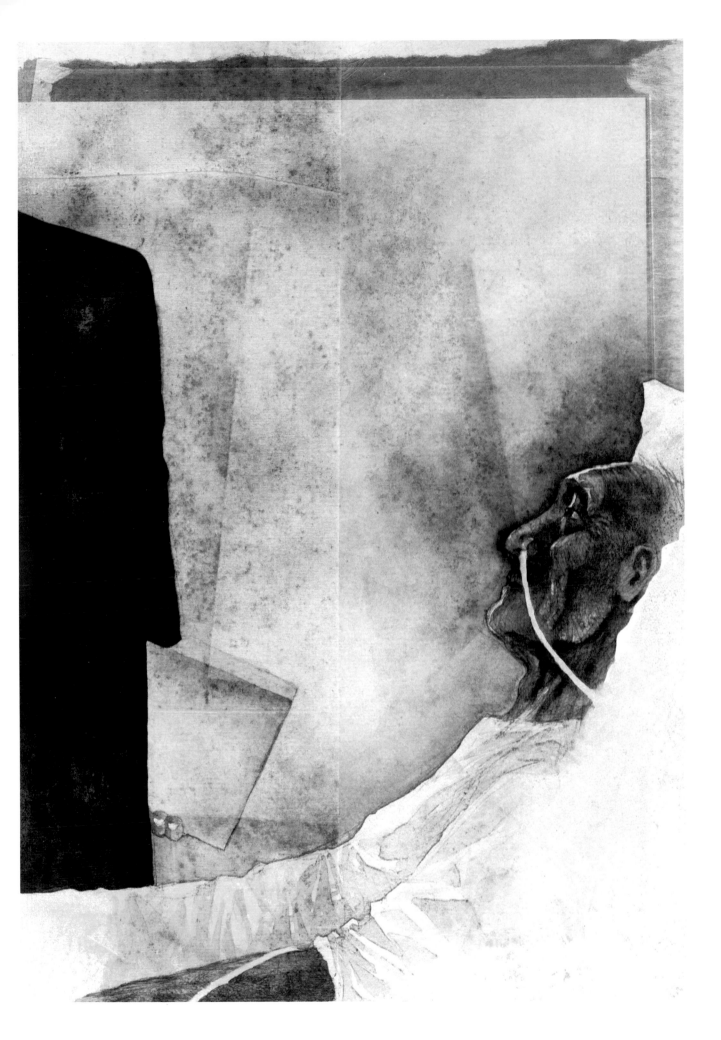

ba. No sé cuántas vacas hubo que matar en Sonora para que este caserón se levantara en Las Lomas, ni cuántos trafiques de mercado negro le sirvieron de cal—y—canto. Ustedes los han visto a lo largo del Paseo de la Reforma y el Boulevard de los Virreyes y Polanco: son unos delirios arquitectónicos de inspiración seudocolonial, parecidos al interior del cine Alameda, que a su vez remeda el perfil plateresco de Taxco con sus cúpulas, torres y portadas. Para no hablar del cielo artificial del cine, tachonado de estrellas de 100 watts y amenizado por nubecillas de pasaje veloz. Mi casa en el Boulevard de los Virreyes no llegaba a tanto.

Sin duda, el delirio churrigueresco de la casa que ocupo desde hace más de veinte años fue un día objeto de burlas. Me imagino dos o tres caricaturas de Abel Quezada riéndose de la portada catedralicia, los balcones de hierro forjado, la pesadilla recargada de adornos, relieves, curvas, ángeles, madonas, cornucopias, columnas de yeso estriadas y vitrales. Adentro, el asunto no mejora, no vayan a creer ustedes. *Adentro* reproduce *afuera*: otra vez, en un hall que se levanta a la altura de dos pisos, encontramos la escalera de losa azul, el pasamanos de hierro y los balconcitos mirando desde las recámaras al hall, el candil de fierro con sus bujías imitando velas escurriendo falsa cera de plástico petrificada, el piso de azulejos de Talavera, los incómodos muebles de madera y cuero, tiesos, como para oír la sentencia de la Santa Inquisición. ¡Me lleva...!

Pero lo extraordinario, les iba diciendo a ustedes, es que este elefante blanco, símbolo de la cursilería y el nuevorriquismo de los empresarios que se aprovecharon de la guerra, se ha convertido, con el tiempo, en una reliquia de una época mejor. Hoy que vamos de picada añoramos el momento cuando íbamos en ascenso. Mejor cursis y contentos que tristes aunque refinados. Para qué les cuento.

Bañada en la luz de la nostalgia, singular y remota en un mundo nuevo de rascacielos, vidrio y concreto, mi monstruosa casaquasimodo (mi casimodo, ni modo, carnales, ¡ja, já!, ¡mi casa es grande pero es mi monstruo!) se convirtió en pieza de museo. Con decirles que los vencinos primero y las autoridades más tarde, se me han acercado pidiéndome:

—Señor licenciado, no vaya a vender o a tirar su casa. No quedan muchas muestras de la arquitectura neocolonial de los cuarenta. Ni se le ocurra sacrificarla a la picota o (Dios nos libre) (no lo decimos por usted) al vil interés pecuniario.

Yo tenía un extraño amigo de otros tiempos, llamado Federico Silva, al que sus amigos llamaban El Mandarín y que vivía en otro tipo de casa, una elegante villa de la década adolescente del siglo (1915?, 1920?), estrujada y desnivelada por los rascacielos circundantes de la calle de Córdoba. Él no la soltó por pura dignidad: no cedió a la modernización del De Efe. A mí, de plano, la nostalgia me hace los mandados. Si yo no suelto mi casa, no es porque me lo pidan los vecinos, o porque yo me ande dando aires respecto a su valor de curiosidad arquitectónica, o la chingada. Yo me quedo en mi casa porque aquí he vivido como un rey durante veinticinco años: de la edad de veinticinco a la edad de cincuenta que acabo de cumplir, ¿qué les parece? ¡Toda una vida!

Nicolás Sarmiento, sé honesto con quienes te hacen el favor de escucharte, me dice mi Pepito Grillo. Diles la verdad. Tú no dejas esta casa por la sencilla razón de que fue la del brigadier Prisciliano Nieves.

3

Toda una vida: les iba contando que cuando ocupé la casa merengue ésta, yo era un menguado abogadillo, ayer nomás pasante de un bufete sin importancia en la avenida Cinco de Mayo. Mi horizonte, palabra de honor, era mirar por las ventanas de la oficina a la Dulcería de Celaya e imaginarme recompensado por montañas de jamoncillos, panochitas, pirulíes y morelianas. Quizás el mundo era una gran naranja cristalizada, me decía mi noviecita santa, la señorita Buenaventura del Rey, de las mejores familias de la colonia Narvarte. Bah, si sigo con ella me convierto yo mismo en naranja dulce, limón partido. No; el mundo era la naranja azucarada que yo iba a morder una sola vez y luego, con desdén y aire de conquistador, arrojar a mis espaldas. ¡Dame un abrazo que yo te pido!

Buenaventura, en cambio, quería comerse la naranja hasta la última semillita, porque quién sabe si mañana iba a haber otra. Cuando yo pisé por primera vez la casa de Las Lomas, supe que en ella no había sitio para la señorita Buenaventura del Rey. ¿Les confieso una cosa? Mi novia santa me pareció menos digna, menos interesante, que las criadas que mi general había tenido a su servicio. Abur, Buenaventura, y salúdame con cariño a tu papá por haberme entregado, sin darse cuenta, el secreto de Prisciliano Nieves. Pero adiós también, digna cocinera, preciosa criadita, atolondrado mozo y encorvado jardinero del Héroe de Santa Eulalia. Que no quede aquí nadie que sirvió o conoció en vida a Priscilliano Nieves. ¡A volar todos! Las mujeres liaron sus itacates y se fueron muy dignas. El mozo, en cambio, se me puso entre gallo y lloricón, que si no era su culpa que el general se les muriera, que en ellos nadie pensaba nunca, que qué iba a ser de ellos ahora, ¿iban a morirse de hambre o iban a robar? Yo hubiera querido ser generoso con ellos. No tenía con qué; sin duda, no fui el primer heredero que no pudo ocuparse del batallón de criados metidos en la casa que heredó. El jardinero regresó de vez en cuando a mirar, desde afuera, sus rosales. me pregunté si no sería bueno pedirle que regresara a cuidarlos. Pero no sucumbí: la consigna era: *Nada con el pasado.* Ahora mismo empiezo mi nueva vida, nueva novia, nuevos criados, casa nueva. Nadie que sepa nada de la batalla de La Zapotera, la hacienda de Santa Eulalia o la vida de mi brigadier Prisciliano Nieves. Pobrecita Buenaventura; lloró mucho y hasta hizo el ridículo telefoneándome y recibiendo cortones de mis criados. La pobre jamás supo que nuestro noviazgo era la base de mi fortuna; su padre, un antiguo contador del ejército, bizco de tanto hacerse tarugo, había estado en Santa Eulalia y sabía la verdad, pero para él era sólo una anécdota graciosa, no tenía importancia, era una curiosidad de sobremesa; él no actuó sobre la preciosa información que poseía y en cambio yo sí, y en ese momento supe que la información es la base del poder, pero la condición es saber emplearla, llegado el caso, no emplearla: el silencio también es poder.

12

Nueva vida, casa nueva, nueva novia, criados nuevos. Ahora va a nacer de nuevo Nicolás Sarmiento, para servir a ustedes.

Nació, sí señores: toda una vida. ¿Quién se dio cuenta antes que nadie de que había un aparatito llamado el teléfono con el que un abogado muy águila podía comunicarse antes que nadie con el mundo, la gran naranja azucarada? Lo están ustedes escuchando. ¿Quién se dio cuenta antes que nadie de que hay un poder inconsútil que se llama la información? El que sabe, sabe, dice el dicho, pero yo lo corregí: el que sabe, puede, el que puede sabe, y poder es saber. ¿Quién se suscribió a cuanta revista gringa existe, de tecnología, deportes, moda, comunicaciones, decoración interior, arquitectura, aparatos domésticos, espectáculos, lo que ustedes gusten y manden? ¿Quién? Pues lo están oyendo y les está hablando: el licenciado Nicolás Sarmiento, que unió información y teléfono y apenas supo de esto o aquel adelanto desconocido en México, llamó por teléfono y más rápido que un rayo sacó la licencia para explotarlo aquí.

Todo por teléfono: patente de lavadora equis, de microcomputadora zeta, de contestador telefónico automático y de grabadora electromagnética, permisos de *pret-à-porter* parisino y de zapatos de *jogging*, licencias de perforadoras y plataformas marinas, de fotocopiadoras y vitaminas, de betabloqueadoras para los cardiacos y de avionetas para los magnates: qué no patenté para México y Centroamérica, en esos veinticinco años, señores, encontrándole a cada servicio su dimensión financiera, conectando mis regalías en México al estado de la firma matriz del producto en Wall Street, la Bourse y la City. Y todo, les digo a ustedes, sin moverme del caserón de mi brigadier Prisciliano Nieves, quien para hacer negocios tenía que ir, como quien dice, a ordeñar vacas al rancho. En cambio, yo, teléfono en ristre, introduje prácticamente solo a México en la era moderna. Ni quién se diera cuenta. En el lugar de honor de mi biblioteca estaban los libros de teléfonos de Manhattan, Los Angeles, Houston... San Luis Missouri: sede de la fábrica de aviones McDonnell-Douglas y de los cereales Ralston; Topeka, Kansas: sede de la fábrica de detergentes Wishwashy, y Dearborn, Illinois, de la fábrica de autos en el lugar donde nació Henry Ford, para no hablar de la manufactura de

14

nachos en Amarillo, Texas, y de los conglomerados de la alta tecnología en la Ruta 112 de Massachusetts.

El detalle, mis cuates, el detalle y el indicativo seguido de siete números: una operación invisible y, si no sigilosa, al menos de una discreción rayana en el murmullo amoroso. Óiganme bien: en mi despacho de Las Lomas tengo un banco de cerca de cincuenta y siete líneas de teléfono directas. Todo lo que necesito a la mano: notarios, expertos en patentes y burócratas amigos.

En vista de lo ocurrido, yo les estoy hablando, como quien dice, a calzón quitado. Pero no se anden creyendo. Me he dado mi refinadita desde aquellos lejanos días de mi visita al Hospital Inglés y mi abandono de la señorita Buenaventura del Rey. Soy medio camaleón y no me distingo demasiado de todos los mexicanos de clase media que nos hemos venido puliendo, aprovechando oportunidades de viajes, roces, lecturas, películas, buena música al alcance de... Bueno, enriqueceos, oportunidades para todos y cada soldado trae en su mochila su bastón de mariscal. Leí a Emil Ludwig en edición de bolsillo y me enteré de que Napoleón ha sido el supermodelo mundial del ascenso por méritos, en Europa y en el susodicho Tercer Mundo. Los gringos, tan planos en sus referencias, hablan de *self-made-men* como Horacio Alger o Henry Ford. Nosotros o Napoleón o nada: véngase mi Josefina, que aquí está su mero corso, Santa Elena está muy lejos, las pirámides nos contemplan aunque sea en Teotihuacán, y de aquí a Waterloo hay una larga jornada. Somos medio Napoleón medio Don Juan, qué le vamos a hacer, y yo les digo que mi terror de volver a caer en la baja de donde salí era tan grande como mi ambición: por franqueza no va a quedar. Pero las mujeres, las mujeres que quería, las Antibuenaventura, a ésas las quería como ellas me querían a mí: refinado, cosmopolita, bueno, eso me costaba un poquito, pero seguro de mí mismo, mandón a veces, dándoles a entender (y era cierto) que nada era seguro entre ellas y yo, la gran pasión hoy, la memoria apenas mañana... Ésa era otra historia, aunque ellas pronto aprendieron a contar con mi discreción y me perdonaron mis fallas. Mujeres y criados. Desde mi atalaya colonial de Las Lomas, armado de un teléfono que pasó por todas las modas, negro rural, blanco hollywoodense, rojo Crisis de Octubre, verde claro

tecnicolor, dorado muñeca Barbie, de bocina separada del aparato, de obligación de marcar con el índice, a teléfonos como los que estoy usando en este momento, de puro te pico el ombligo y me cotorreas, a mi modelito negro de Giorgio Armani con pantallita de TV que sólo uso para mis conquistas.

— Las mujeres: en los sesenta todavía sobrevivían algunas náufragas extranjeras de los cuarenta, medio cacheteadas ya, pero ansiosas de tener un amante joven y un caserón donde dar fiestas, y apantallar a los aztecas; eso me dio mi primer lustre y con ello encadilé a la segunda promoción de viejas, o sea muchachas que querían casarse con un joven abogado en ascenso que ya había tenido como amante a la princesa de Salm-Salm o a la heredera de la planta de cartón reciclado de Fresno, California. Así es este asunto del amor. A las niñas bien las utilicé para anunciar que yo era un niño mal. Seduje a las que pude, las demás salieron corriendo a avisarles a sus correligionarias que aquí se escanciaban emociones fuertes pero no duraderas: Nicolás Sarmiento no te va a conducir al altar, chula. Me hice el interesante, porque los sesenta lo exigían. Traté de seducir a las dos Elenas, madre e hija, pero sin fortuna. Ellas ya tenían sus particulares arreglos domésticos. Pero detrás de ellas venía una generación de mexicanitas desesperadas que creían que ser interesante era ser triste, angustiada y lectora de Proust. Acabó hartándome que intentaran suicidarse con tanta frecuencia en mi cuarto de baño y me fui, en reacción, a lo bajito. Secretarias, manicuristas, dependientas de almacén que querían pescar marido igualito que las niñas popis, pero a las que yo les daba atole con el dedo educándolas, enseñándolas cómo caminar, vestirse y usar un cío después de comer camarones (cosas que me enseñaron a mí las viejas de mi primera generación). Me halagaba educarlas, en vez de ser educado como lo fui por las tres generaciones anteriores. ¿Dónde estaba mi justo medio, pues? La quinta generación me dejó turulato. Ahora no querían enseñarme ni aprenderme nada, nomás querían compartir y competir. Seguras de sí, actuaban como hombres y me decían que eso era ser muy mujeres. ¿Quién quita? Pero la filosofía del buen Don Juan es simplemente ésta: a ver si es chicle y pega. Y aunque les platico todo esto muy ordenadamente, la verdad es que en mi lecho reinaba, señoras y señores que me escucháis, un gran caos, pues siempre había una austrohúngara de generación *number one* que se había olvidado la boquilla hacía diez años en el gabinete de las medicinas y regresaba a recogerla (con la esperanza de encender viejas flamas) cuando sentadita bajo el susodicho gabinete en posición comprometida encontrábase potencial Galatea guacareando un insólito (para ella) kir y en la tina se sumía en espumas olorosas a bosque alemán potencial María Vetsera proveniente de la Facultad de Letras y a la puerta principal tocaba ex noviecita ahora casada y con cinco hijos, dispuesta a mostrármelos todos, en posición marimba, ¡nomás paqueviera de lo que me había perdido! Omito mencionar a las chamacas (¡divertidísimas!) que, mediando los ochenta, empezaron a aparecerse por mi casa inopinadamente, en zancos, saltando bardas por la parte trasera de las mansiones churrigurris de Virreyes, salta que te salta, de casa en casa, demostrando así que,

—¡La propiedad privada es muy de acá, maestro, pero sólo si la compartes!

Pasaban como ráfagas, en sus zancos de resortes, núbiles, ah, yo para cumplir los cincuenta, con qué ensoñación las veía pasar saltando, todas ellas menores de veinte años, arrogándose el derecho de entrar a todas las casas, pobres o ricas, y de hablar, hablar nada más, con los demás, decían: el otro es la buena onda.

Si aún me escuchan ustedes, pronto llegarán a la conclusión de que mi destino era acabar con una mujer que reuniese cualidades (y los defectos, ¡qué le vamos a hacer!) de las cinco generaciones de viejas que me tocó seducir. Miren nada más: lo propio del Don Juan es moverse, viajar, reírse de las fronteras, sean éstas entre países, jardines, balcones o recámaras. Para Don Juan, no hay puertas o, más bien, siempre hay una puerta imprevista por donde escapar. Ahora mis alegres bandadas de chamacas en zancos eran las Juanitas (¡vaya que si olían a hierbabuena, me cae de madre!) y yo, ya ven ustedes, pegado al teléfono, haciéndolo todo por teléfono, citas, negocios, amores....

Y criados. Los necesitaba, y muy buenos, para dar mis famosas fiestas, para recibir lo mismo a una vieja en el ambiente más íntimo y bien servido, que a una masa de quinientos invitados en un fiestón de época. ¡El merequetengue en la casa del merengue! Los tiempos, sin embargo, acabaron por desautorizar estas muestras ofensivas de lujo, como las llamaban los políticos más ricos de México y aunque yo nunca me paré a llorar en público por la pobreza de mis paisanos, al menos traté de darles empleo digno. Digno aunque pasajero. Lo que nunca he tolerado es un criado que me dure demasiado tiempo. Se apoderan de mi pasado. Se acuerdan de las mujeres anteriores. Sus ojos establecen comparaciones. Tratan a las nuevas como trataban a las antiguas, como si quisieran servirme muy bien y quedar bien, cuando bien saben los muy taimados que quedan y me hacen quedar mal: aquí está su bolsita de agua caliente, señora, como le gusta a usted; oye, ¿con quién me confunde tu gato?; su toronja matutina diurética pala gordita que prefiere chilaquiles. La confusión se vuelve alusión, y no ha nacido mexicana que no vea, huela y pesque las indirectas al vuelo. (Salvo una chiapaneca de a tiro mensa a la que tenía que aplaudirle como loco para despertarla cuando se me dormía en medio de la acción y la muy pendeja se levantaba a bailar su bailecito regional. Debe ser cosa de genes. ¡Que las devuelvan a todas a Guatemala!).

Además de negarles la memoria acumulativa que les daría poder sobre mí, les niego permanencia a los criados para que no se confabulen entre sí. Criado que dura más de dos años, acaba aliándose con otro criado contra mí. El primer año me adulan y compiten entre ellos; el segundo, odian al que ven como mi preferido; el tercero, se juntan para darme en la madre. ¡Vámonos! Aquí nadie pasa más de dos navidades seguidas. Pala tercera fiesta de reyes, en camello y al desierto, que la estrellita de Belén ya se apagó. Cocinera (o Nero, Nero, Cadenero: ¡Neroncitos a mí! ¡Puros violines, qué!), recamarera, mozo, jardinero y un chofer que sólo hace mandados porque yo, pegado a mis teléfonos y a mis computadoras, apenas si de vez en cuando salgo de mi caserón colonial.

Desde que heredé la casa, llevo una lista exacta de amantes y criados. La primera ya es larguita, pero no tanto como la de Don Juan; además, es bastante individualizada. La de los criados, en cambio, trato de presentarla seriamente, con estadísticas. En la computadora voy poniendo el origen, la ocupación previa. De esa manera, tengo a la mano una especie de cuadro sociológico muy interesante, pues las provincias que me proporcionan servicio se van reduciendo, al cabo de los años, a las siguientes: Querétaro, Puebla, el Estado de México y Morelos. Luego vienen, dentro de cada una, las ciudades (Toluca vence de lejos), los pueblos, las aldeas, las antiguas haciendas. Dada la velocidad relativo con que voy cambiando de criados, creo que acabaré por cubrir todas las localidades de esas cuatro entidades federales. Va a ser muy divertido ver a qué tipo de coincidencias, excepciones, y convergencias, entre sí y en relación con mi propia vida, dan lugar estas detalladas memorias de mis computadoras. ¿Cuántas veces se repetirá un criado proveniente de Zacatlán de las Manzanas, estado de Puebla? O, ¿cuántos miembros de la misma familia acabarán por servirme? ¿Cuántos se conocerán entre sí y se platicarán sobre mí y mi casa? Las posibilidades de la narración y del empleo se parecen: ambas son infinitas, pero el cálculo de probabilidades es, por definición, finito —la repetición no es dispersión, sino, al cabo, unidad. Todos acabamos mirándonos en el espejo del mundo y viendo nuestra carita de chango nada más.

— El mundo viene a mí y la prueba es que aquí están ustedes, oyéndome y pendientes de mis sabias y estadísticas palabras. Ejem, como dicen en los monitos, y otra cosa también: ¡qué canija es la suerte y cómo se las ingenia la fatalidad para darle en la torre a los planes más bien preparados!

La odalisca en turno era, en cierto modo, mi amante ideal. Nos conocimos por teléfono. Díganme ustedes si puede haber sindéresis más perfecta, como decimos los leguleyos mexicanos, o *serendipity* (¡vaya palabrita!) como dicen los *yupis* gringos que se la viven buscándola o tales para cuales como dicen los nacolandios de aquí del rumbo (Héroe naco en trenecito: Nacozari. Naco celoso en posada: Nacotelo. Naco corso encerrado en isla remota: Nacoleón. Nacos anarquistas sacrificados en silla caliente: Naco y Vanzetti.)

— —Nacolás Sarmiento.

Así me dijo, burlándose de mí, mi última conquista, mi cuero en turno, mi novia final, ¿cómo no me iba a conquistar si entró así de lista a mi juego? Nacolás Sarmiento, me dijo, ella se llamaba Lala y poseía características de cada una de las generaciones que la precedieron. Era políglota como las primeras

viejas que yo tuve (aunque supongo que a Lala no le enseñaron lenguas en un castillo ancestral rodeada de nanas, sino por método Berlitz aquí en la avenida Chapultepec, o sirviéndole mesas a los turistas gringos en Zihuatanejo). Tenía una melancolía de a devis, no nomás porque le metió la idea en el coco un profe decadente de Filosofía y Letras; a Proust no lo conocía ni por las tapas, y su murria era más vía José Alfredo Jiménez,

Y si quieren saber de mi pasado,

Les tendré que contar otra mentira,

Les diré que llegué de un mundo raro...

Quiero decir que era rete misteriosa, paquésmasquelaverdá, y cuando cantaba aquello de amanecientusbrazos, a mí ya me andaba por acurrucarme en los suyos y suspirarle a mi manera más tierna, quénséquécosa... Ay Lala, cómo te adoré, palabra, cómo adoré tu culito apretado, mi amor, con perrito ladrándome y mordiéndome cada vez que entraba a tu divina zoología, mi amor, tan salvaje y tan refinada, tan sumisa y tan loca al mismo tiempo, tan llena de detalles inolvidables: Lala, tú que me dejabas flores dibujadas con crema de rasurar en el espejo del baño; tú que llenabas de tierra las botellas de champaña; tú que subrayabas con plumón amarillo tus palabras preferidas en mis libros de teléfonos; tú que dormías siempre bocabajo, con el pelo revuelto y la boca entreabierta, solitaria e indefensa, con las manos apretadas contra tu barriguita; tú que nunca te cortaste las uñas de los pies en mi presencia; pero que te lavabas los dientes con bicarbonato de soda o con tortilla molida, Lala, ¿es cierto que te sorprendí rezando una noche, hincada, y te reíste nerviosa y me enseñaste una rodilla herida como pretexto y te la besé sana sana colita de rana?, Lala, exististe sólo para mí, en mi recámara, en mi casa, nunca te vi afuera de mi vasta prisión churrigueresca, pero tú nunca te sentiste prisionera, ¿verdad que no? ¿De dónde venías, quiénes eran tus padres, quién eras tú? Nunca quise saberlo; ya lo dije: en todo esto, la verdad es el misterio. Te teñías el pelo con mechones rubios; bebías Tehuacán con gas antes de dormirte; te aguantabas las ganas de desayunar fuerte; sabías caminar sin zapatos. Pero vamos por orden: de la cuarta generación, Lala tenía una cierta ausencia de modales que yo iba a pulirle, nomás

22

que ella lo aceptaba de buena gana, era parte de su pertenencia plena a la quinta generación de mexicanitas seguras de sí mismas, abiertas a la educación, la experiencia, la responsabilidad profesional. Las viejas, señoras y señores, son como las computadoras: han ido pasando de las operaciones más simples, como son sumar, restar, almacenar memoria y contestar preguntas en fila, sucesivamente, a la operación simultánea de la quinta generación: en vez de darle vuelta a cada tortilla sucesivamente, le vamos a dar vuelta a todas de un golpe. Sé esto porque he traído a México todas las novedades de la computación, de la primera a la cuarta, y ahora espero la quinta y sé que el país que la descubra va a dominar el siglo XXI que ahí se nos va acercando, como dice la vieja canción: en noche lóbrega, galán incógnito, por calles céntricas, atravesó, y luego la sorpresota y ¿a ver quién lo pensó primero? Pues nada menos que Nicolás Sarmiento, el muy chingón que se suscribe a revistas gringas y maneja todo por teléfono y tiene un nuevo cuero, una morenita de seda llamada Lala, un verdadero mango de muchacha en su caserón de Las Lomas.

Que carecía de pasado. Ni modo, no pude averiguar nada, sentí que parte de mi conquista de Lala consistía en no preguntarle nada, que lo nuevo de estos personajes nuevos del México nuevo era que no tenían pasado o, si lo tenían era en otra época, en otra encarnación. Si era así, todo esto aumentaba el encanto misterioso de Lala. Desconocía su origen pero no su presente, suave, pequeña, cálida en todos sus recovecos, morena, siempre entreabierta y dueña de un par de ojos que nunca se cerraban porque nunca se abrían; la lentitud de sus gestos frenaba un ímpetu que ella y yo temíamos; era el temor de que todo se acabara si lo apurábamos. No, Lala, todo lento, las noches largas, las esperas interminables, la carne paciente y el alma, mi amor, más veloz siempre que el cuerpo: más cerca de la decadencia y la muerte, Lala.

Ahora yo tengo que revelarles a ustedes un hecho. No sé si es ridículo o penoso. Quizás es sólo eso que acabo de decir: un hecho. Yo necesito tener criados porque soy un torpe físicamente. Para los negocios soy un genio, como queda demostrado. Pero no sé hacer cosas prácticas. Cocinar, por ejemplo: cero. Hasta un par de huevos me los tiene que preparar alguien. No sé manejar un auto;

necesito chofer. No sé amarrarme la corbata o los zapatos. Resuelto: puras corbatas de moño de esas con clip para ensartarlas en el cuello de la camisa; puros mocasines, nunca zapatos con agujetas. A las mujeres, todo esto les parece más bien tierno y las vuelve maternales conmigo. Me ven tan inútil en esto, tan tiburón en todo lo demás, que se emocionan y me quieren tantito más. Seguro.

Pero nadie como Lala ha sabido hincarse así ante mí, con esa ternura, con esa devoción, igual que si rezara, y como si fuera poco, con esa eficacia: qué manera más perfecta de amarrar un zapato, de dejar el lazo expansivo como una mariposa a punto de volar, pero prisionero como una argolla prendida a su gemela; y el zapato mismo, fijo, exacto, cómodo, ni demasiado apretado ni demasiado flojo, un zapato amigo de mi cuerpo, ni encajado ni suelto. La perfección era esta Lala, les digo a ustedes: la per-fec-ción. Ni más, ni menos. Se los digo yo, que si tengo clasificados en computadora a los criados por provincias, a las muchachas las tengo clasificadas por colonia.

¿Qué más les cuento antes de llegar al drama? Ustedes ya se lo sospechan, o puede que no. Me hice una vasectomía como a los treinta años para no tener hijos y que ninguna habitanilla de éstas llegara con mocoso en brazos y lágrima pronta: "¡Tu hijo, Nicolás! ¿No lo vas a reconocer? ¡Canalla!" Todo lo arreglé por teléfono; era el arma de mi negocio, y aunque viajé de vez en cuando, cada vez más me quedé en las Lomas de Chapultepec encerrado. Las viejas venían a mí y las renovaba a partir de mis fiestas. Renovaba a los criados para que no se acostumbraran a que aquí con don Nico ya encontramos nuestra minadeoro. Nunca me valí, como otros políticos y magnates mechicas, de conseguidores para mis mujeres. Yo mis conquistas solito. Con tal de que siempre tuviera a alguien que me manejara el coche, me cocinara los frijoles y me amarrara los zapatos.

Todo esto coincidió una noche de julio de 1982, cuando la crisis se nos venía encima y yo andaba nervioso, pensando qué iba a significar la declaración de quiebra del país, los viajes interplanetarios de Silva Herzog, la deuda, Paul Volker y mis negocios de patentes y licencias en medio de tanto drama. Mejor di un fiestón para olvidarme de la crisis y ordené una cantina y buffet en el espacio alrededor de la piscina. El mozo era nuevo, yo no sabía su nombre;

la relación con Lala llevaba dos meses ya y la vieja se me estaba metiendo, me gustaba mucho, me traía, lo admito, cachondo y enculado, la verdáseadicha. Ella llegó tarde, cuando yo ya departía con un centenar de convidados, y animaba a mozos e invitados por igual a escanciar el Taitinger; ¡quién sabe cuándo lo volveríamos a ver, mucho menos a saborear!

Lala apareció, y su modelo de St. Laurent strapless, de seda negra, con sobrefalda roja, tampoco iba a volverse a ver *in a long time*, nomás les aviso, yo que se lo mandé traer. Pero cómo brillaba mi hermosa amante, cómo la siguieron todas las miradas, todititas, me oyen ustedes, hasta el borde de la piscina donde el mozo le ofreció una copa de champaña, ella se le quedó mirando al naco vestido de filipina blanca, pantalón negro lustroso de tanto uso por camareros anteriores a mi servicio, corbatita de lazo, no era posible distinguirlo de todos los demás que pasaron por este lugar, la misma ropa, la misma actitud. ¿Actitud? Levantó la cabeza el muchacho, ella le vació la copa en la cara, él dejó caer la charola en la piscina, tomó a Lala con violencia del brazo, ella se zafó, dijo algo, él contestó, todos miraron, yo me adelanté tranquilo, tomé del brazo a Lala (noté los dedos del otro impresos en la carne suave de mi vieja), le dije a él (no sabía su nombre) que se retirara, ya hablaríamos más tarde. Lo noté confuso, una endiablada incertidumbre en sus ojos negros, un temblorcete en su barbilla oscura. Se acomodó el pelo abrillantinado, partido por la mitad, y se fue con los hombros encogidos. Creí que se iba a caer en la piscina. No es nada, les dije a los invitados, sigan pasándola bien, señoras y señores que me escuchan. Me reí: ¡Recuerden que se nos acaban las ocasiones de fiesta! Todos rieron conmigo y no le dije nada a Lala. Pero ella se subió a la recámara y allí me esperó. Estaba dormida cuando la fiesta terminó y yo subí. Pisé una copa de champaña al entrar al cuarto. Tirada en el piso; y en la cama, Lala dormida con su elegante traje de St. Laurent. Le quité los zapatos. La contemplé. Estábamos cansados. Me dormí. Al día siguiente, me levanté como a las seis de la mañana, con esa palidez de ausencia que se confirma apenas despertamos y ella no está allí. Las huellas de los pies desnudos, en cambio, sí. Huellas sangrantes; Lala se cortó las plantas por mi descuido en no levantar la copa rota. Me asomé por el balconcito rococó a la piscina.

Allí estaba ella, flotando boca abajo, vestida, descalza, con los pies heridos, como si hubiera andado toda la noche sin huaraches, caminando entre abrojos, rodeada aún de un mar de sangre. Cuando la voltearon, la herida del vientre estaba abierta, pero el puñal había sido sustraído. A mi criado Dimas Palmero lo recluyeron en el Reclusorio Norte detenido en espera del lento proceso judicial mexicano acusado de asesinato. Y a mí me sentenciaron a lo mismo, nomás que en el palacio churrigueresco de Las Lomas de Chapultepec que un día fuera la residencia de mi general brigadier Prisciliano Nieves muerto una mañana de 1960 en el antiguo sanatorio británico de la calle de Mariano Escobedo.

4

La mañana de la tragedia, yo tenía sólo cuatro empleados de planta en el caserón colonial de Las Lomas, aparte del susodicho Dimas Palmero: una cocinera, una recamarera, un chofer y un jardinero. Confieso que a duras penas recuerdo sus facciones o sus nombres. Se debe, acaso, a que como trabajo en mi casa, los he vuelto invisibles. Si yo saliera diariamente a una oficina, los notaría, por contraste, al regresar. Pero ellos se hacen escasos para no perturbarme. No sé ni cómo se llaman, ni cómo son. Mi secretaria Sarita Palazuelos trata con ellos; yo trabajo en casa, no estoy casado, los criados son invisibles. No existen, comoquiendice.

Yo creo que estoy solo en mi casa. Oigo un ruido.

Pregunto:

—¿Quién anda ahí?

—Nadie, señor —contesta la vocecita de la gata.

Prefieren ser invisibles. Por algo será.

—Toma este regalo, muchacha.

—Para qué se molestó, señor. Yo no soy quién para recibir regalos. ¡Ay sí!

—Feliz Navidad, te digo, mujer.

—Ay, ¿para qué se anda fijando en mí patron?

Se vuelven invisibles.

—Ay, qué pena.

—Perdone el atrevimiento, señor.

—No le quito ni un minutito de su tiempo, patroncito. Nomás voy a darle una sacudidita a los muebles.

Ahora uno de ellos tenía un nombre: Dimas Palmero.

No quise ni verlo. El odio me impedía dormir; abrazaba la almohada que aún guardaba el perfume, cada día más desvanecido, de Lala mi cuero, y lloraba de rabia. Luego, quise recordarlo para torturarme e imaginar lo peor: Lala con ese muchacho; Lala en brazos de Dimas Palmero; Lala sin pasado. Luego pensé que no recordaba el rostro del joven asesino. Joven: lo dije y comencé a recordarlo. Comencé a despojarlo del anonimato original con que lo definí aquella noche fatal. Uniformado como camarero, filipina, pantalón lustroso, corbatita de lazo, idéntico a todos, igualito a nadie. Empecé a imaginarlo como Lala pudo haberlo visto. Joven, dije; ¿era, además, guapo?; pero, además de joven y guapo, ¿era interesante? y, ¿era interesante porque tenía un secreto? Induje y deduje como loco aquellos primeros días de mi soledad, y del secreto pasé al interés, del interés a la juventud y de allí a la belleza. Dimas Palmero, en mi extraña seudoviudez cincuentona, era el Luzbel que me advertía: Has perdido por primera vez a una mujer, no porque la abandonaste, no porque la corriste, cabrón Nicolás, ni siquiera porque ella te dejó, sino porque yo te la quité y te la quité para siempre. Dimas tenía que ser bello y tenía que tener un secreto. Si no era así, me había derrotado un naco vil. No podía ser. A mí tenía que ganarme, por lo menos, un joven hermoso y con un secreto.

Quise verlo. Una noche de éstas, se me volvió una obsesión: ver a Dimas Palmero, hablar con él, convencerme de que, al menos, yo merecía mi dolor y mi derrota.

Me habían estado trayendo una charola con las comidas. Apenas probaba bocado. Nunca vi quién me trajo la bandeja tres veces al día, ni quién la retiró. La señorita Palazuelos mandó decir por escrito que estaba a mis órdenes pero, ¿cuáles órdenes iba a dar yo, sumido en la melancolía? Le mandé decir que se tomara unas vacaciones mientras se me aliviaba el corazón. Vi los ojos del mozo que escuchó mi recado. No lo conocía. Seguramente la señorita Palazuelos había sustituido a Dimas Palmero con un nuevo camarero. Pero yo estaba obsesionado: vi en este nuevo criado a un doble, casi, del encarcelado Dimas. ¡Tanto deseaba encararme con mi rival!

Estaba obsesionado, y mi obsesión era ir al Reclusorio Norte y hablar con Dimas, verlo cara a cara. Por primera vez en diez días, me duché, me rasuré, me puse un traje decente y salí de mi recámara, bajé por la escalera de herrerías garigoleadas al hall colonial rodeado de balconcitos y con su fuente de azulejos en un rincón, gargareando aguas. Llegué a la puerta de entrada e intenté con un gesto natural, abrirla. Estaba cerrada con llave. Vaya precauciones. La servidumbre se había vuelto bien cauta después del crimen. Espantados, y, ya se lo dije a ustedes, invisibles. ¿Dónde andaban los condenados? ¿Cómo llamarlos? Muchacho, muchacha, ey, señora, señores… Me lleva.

Nadie contestó, Me asomé al ventanal de emplomados en la sala. Aparté las cortinas. En el jardín de la casa estaban ellos. Aposentados. Tirados en el césped, arruinándolo, fumando cigarritos y aplastando las colillas en la tierra abonada de los rosales; sentados en cuclillas, sacando de las portaviandas patitas humeantes de cerdo en mole verde, humeando tamales de dulce y de chile y arrojando donde cayeran las hojas de elote tatemadas. Ellas las muy coquetas, cortando mis rosas, poniéndoselas en el pelo negro y lustroso, mientras los escuincles se picaban las manecitas con las espinas y chillaban como marranitos… Corrí a una de las ventanas laterales: jugaban a las canicas y a los baleros, instalaban unas barricas sospechosas y derramadas al lado del garage. Corrí al extremo derecho de la mansión: un hombre orinaba en la parte estrecha y sombreada del jardín; un hombre de sombrero de paja laqueada meaba contra el muro divisorio de mi casa y….

Estaba rodeado.

Un aroma de verdolaga venía de la cocina. Entré a ella. Nunca había visto a la nueva cocinera, una gorda cuadrada como un dado, con pelo de azabache pero rostro antiguo a fuerza de escepticismo.

—Soy Lupe, la nueva cocinera —me dijo—, y éste es don Zacarías, el nuevo chofer.

El tal chofer ni se levantó de la mesa donde comía tacos de verdolaga. Lo miré con asombro. Era idéntico al ex presidente don Adolfo Ruiz Cortines, quien a su vez era confundido, en la broma popular, con el actor Boris Karloff: cejas pobladas, ojos profundos, tremendas ojeras, comisuras más profundas que el cañón del Río Colorado, frente alta, pómulos altos, calavera apretada, pelo cepillado para atrás, entrecano.

—Mucho gusto —dije como un perfecto idiota.

Regresé a la recámara y, casi instintivamente me puse unos de los escasos zapatos con agujetas que tengo. Me miré allí, sentado en la cama revuelta, cerca de la almohada de tenue perfume, con las cintas de los zapatos desamarradas y sueltas como dos lombrices inertes, aunque hambrientas. Toqué el timbre junto a la cabecera, a ver quién acudía a mi llamado.

Pasaron unos minutos. Luego unos nudillos tocaron.

Entró él, el joven parecido (me había inventado yo) al encarcelado Dimas Palmero. Decidí, sin embargo, distinguirlos, separarlos, no permitir confusión alguna. El asesino estaba entambado. Éste era otro.

—¿Cómo te llamas?

—Marco Aurelio.

Se fijan que no dijo "para servir al señor", ni "a sus órdenes, patroncito". Tampoco me miró con los ojos velados, de lado, o cabizbajo.

—Amárrame los zapatos.

Me miró derecho un segundo.

—Ahoritita mismo —dije yo; él me miró derecho y luego se hincó ante mí. Me ató las cintas.

—Avísale al chofer que voy a salir después de la comida. Y dile a la cocinera que suba para ordenarle algunos menús. Y otra cosa, Marco Aurelio.

—Escámpame a toda esa gente intrusa que se me metió al jardín. Si no se van dentro de media hora, llamo a la policía. Puedes retirarte, Marco Aurelio. Es todo, te digo.

Me vestí, ostentosa y ostensiblemente, para salir, yo que lo hacía tan pocas veces. Decidí estrenar —casi— un traje de gabardina beige cruzado, camisa azul, corbata de moño de alamares amarilla y un pañuelo Liberty que me regaló una inglesa, asomando por la bolsa del pecho.

Muy galán, muy gallo: dije mi nombre y pisé fuerte, bajando por la escalera. Pero me encontré con la misma historia. La puerta con llave, la gente alrededor de la casa. Una fiesta con todo y piñata en el garage. Los niños gritando felices. Un niño llorando a gritos, prisionero en una extraña cuna de metal, toda ella enrejada, hasta la parte superior, como una parrilla.

—¡Marco Aurelio!

Me senté en la sala del ventanal de emplomados. Marco Aurelio me desamarró solícito los zapatos y, solícito, me ofreció mis babuchas más cómodas. ¿Fumaba pipa? ¿Quería un coñaquito? No me iba a faltar nada. El chofer iría a traerme cuanta cassette quisiera: películas nuevas o viejas, deportes, sexo, música... Que yo no me preocupara, me mandaba decir la familia. Sabe usted, don Nico, en este país (iba diciendo hincado ante mí, quitándome los zapatos, el nacorrendo este) sobrevivimos las peores calamidades porque nos apoyamos los unos a los otros, viera usted, yo estuve de ilegal en Los Ángeles y allá las familias americanas se desperdigan, viven lejos, padres sin hijos, los viejos abandonados, los chamacos ya no ven la hora de independizarse, aquí todo lo contrario, don Nico, ¿a que a usted ya se le olvidó eso?, tan solitario usted, válgame Dios, pero nosotros no, que si te quedaste sin empleo, la familia te da de comer, te da techo, que si te anda buscando la chota, o te quieren avanzar los sardos, la familia te esconde, te manda de Las Lomas de regreso a Morelos y de allí a Los Ángeles y nuevamente en circulación: la familia sabe caminar de noche, la familia es invisible casi siempre, pero ah chirrión don Nico, de que se hace presente, ¡vaya que sí se hace presente! Usted dirá. ¿Que va a hablarle a la poli si no nos vamos? Pues yo le aseguro que la poli no nos va a encontrar cuando llegue, aunque sí lo va a encontrar a usted, bien tieso, flotando en la alberca, igual que la Eduardita que Dios tengo en su... Pero oiga, don Nico, no se me ponga color de duende, si nuestro mensaje es rete simple:

usted haga su vida de siempre, telefonee cuanto guste, haga sus negocios, dé sus fiestas, reciba a sus cuates y a sus changuitas, que nosotros lo protegemos, faltaba más, nomás que de aquí usted no sale mientras Dimas nuestro hermano esté en la Peni: el día que Dimas salga de la cárcel, usted sale de su casa, don Nico, ni un minuto antes, ni un minuto después a menos que nos juegue usted chueco, y entonces usted sale primero de aquí, pero con las patas palante, por ésta se lo juro.

Se besó la cruz del pulgar y el índice con ruido y yo me acurruqué contra la almohada de la Eduardita —¡mi Lala!—. Así empezó mi nueva vida y lo primero que se les está ocurriendo a ustedes que me escuchan es lo mismo que se me ocurrió a mí encerrado en mi propia casa de Las Lomas: bueno, en realidad no ha cambiado mi régimen de vida; cuando mucho, ahora estoy más protegido que nunca. Me dejan dar mis fiestas, manejar mis negocios por teléfono, recibir a las chamacas que me consuelan de la muerte de Lala (mis bonos han subido como la espuma: soy un amante trágico, ¡vóytelas!) y a los tecolotes que se presentaron a preguntar por qué toda esa gente rodeando mi casa, apeñuscada en el jardín, friendo quesadillas junto a los rosales, meando en el garage, ellos les dijeron: Es que el señor es muy caritativo y diariamente nos entrega las sobras de sus fiestas. ¡Diariamente! Se lo confirmé personalmente a los policías, pero ellos me miraron con una burla acongojada (los mordelones mexicanos son actores expertos en mirarlo a uno con una angustia sarcástica) y yo entendí: Está bien.

De allí en adelante, iba a pagarles su mordida semanal. Lo anoté en mis libros de egresos y a la señorita Palazuelos tuve que despedirla para que no sospechara nada. Ella misma no se olió la razón de mi despido. Yo era famoso por lo que ya dije: nadie duraba mucho tiempo conmigo, ni secretaria, ni chofer, ni amante. Yo, chino libre y a mí mis timbres, ¡faltaba más! Notarán ustedes que toda esta fantástica situación era simplemente una calca de mi situación normal, de manera que no había razón para que nadie se alarmara: ni el mundo exterior que seguía negociando conmigo, ni tampoco el mundo interior (yo, mis criados, mis fiestas, mis amantes, lo de siempre...).

Pero la diferencia, claro está, es que esta situación fantástica (disfrazada por mi situación normal) contenía un solo elemento de anormalidad profunda e intolerable: no era obra de mi voluntad.

Ahí estaba el detalle: esta situación no la impuso mi capricho; me la impusieron a mí. Y de mí dependía terminarla; si Dimas Palmero salía libre, yo quedaba libre también.

Pero ¿cómo iba a hacerle para que saliera el tal Dimas? Aunque yo llamé a la poli para que lo detuvieran, ahora él estaba acusado de asesinato por el Ministerio Público.

Me dio por ponerme zapatos con agujetas; era el pretexto para pedirle al camarero Marco Aurelio que subiera a ayudarme, platicarme, enterándome: ¿a poco todo ese gentío metido en el jardín era familia del recluido Dimas Palmero? Sí, me contaba Marco Aurelio, una familia mexicana muy bonita, muy extendida, todos ayudándose entre sí, como le dije. ¿Qué más?, le insistí y él se rió al oírme; todos católicos, cero píldoras, cero condones, los hijos que Dios mande... ¿De dónde eran? Del estado de Morelos, campesinos, todos ellos trabajadores de los campos de azúcar; no, los campos no estaban abandonados, ¿no le cuento don Nico?, es que somos rete hartos, jajá, ésta es nomás una delegación, somos muy buenos en Morelos para organizar delegaciones y mandarlas a la capital a pedir justicia, usted nomás recuerde al general Emiliano Zapata; pues ahora verá usted que hemos aprendido algo. Ya no pedimos justicia. Ahora nos hacemos justicia. Pero yo soy inocente, le dije a Marco Aurelio hincado frente a mí, yo perdí a Lala, yo soy... Levantó la mirada negra y amarilla como la bandera de una nación invisible y rencorosa: —Dimas Palmero es nuestro hermano.

De allí no lo sacaba. ¡Taimada gente ésta! Nuestro hermano: ¿lo decía literalmente, o por solidaridad? (¡Tercos zapatistas de la chingada!) Un abogado sabe que todo en este mundo (la palabra, la ley, el amor...) puede interpretarse en sentido estricto o en sentido lato. La hermandad de Marco Aurelio mi criado insólito y de Dimas mi criado encarcelado, ¿era de sangre, o era figurada? ¿Estrecha, o extensa? Yo debía saberlo para saber a qué atenerme: Marco Aurelio, le dije un día, aunque yo retire los cargos contra tu hermano, como lo llamas (mirada taimada, biliosa, silencio) el procurador los va a mantener porque hubo demasiados testigos del altercado entre Lala y tu hermano junto a la piscina, no depende de mí, van a perseguir *ex oficio*, ¿me entiendes?, no se trata de vengar la muerte de Lala...

—Nuestra hermana... Puta no, eso sí que no.

Lo tenía hincado frente a mí atándome las cintas del zapato y al oírle esto le di una patada en la cara, les aseguro a ustedes que no fue intencional, fue un reflejo brutal ante una afirmación brutal, le di una patada brutal en la quijada, lo noquié, cayó de espaldas y yo seguí mi instinto ciego, abandoné mi razón (de por sí bastante adormecida) y corrí escalera abajo, al hall, en el momento en que una recamarera desconocida barría el umbral y la puerta abierta me invitaba a salir a la mañana de Las Lomas, al aire picante de polumo, al distante silbatazo de un globero y la fuga de las esferas rojas, azules, amarillas, liberadas, lejos del vacío de la barranca que nos circunda, sus altos eucaliptos descascarados luchando contra el olor de mierda refugiado en las bisagras del monte: globos de colores me saludaron al salir y respirar veneno y restregarme los ojos.

Mi jardín era el sitio de una romería. El olor a fritanga se imponía al de mierda y eucalipto; humo de braseros, chillidos de niños, tañer de guitarras, clic de canicas, dos gendarmes enamorando a las muchachas de trenzas y delantal a través de la reja garigoleada de mi mansión, un viejo de pelo azulenco y boca desdentada y pantalón remendado y huaraches, con el sombrero de paja laqueada en la mano y la invitación —se acercó a mí—: ¿Se le antoja algo señor? Hay buenos antojitos, señor; yo miré a los policías, que no me miraron a mí, se reían maliciosamente con las muchachas del campo y yo las veía a las muy pendejas embarazadas ya, ¿cómo que putas no?, pariendo en el campo, a los pinches hijos de cuico, los niños aumentando la familia de, de, de este viejo patriarca que me invitaba antojitos en vez de proteger a las dos muchachas seducidas por un par de siniestros bandidos uniformados, sonrientes, indiferentes a mi presencia en los escalones de mi casa. ¿A ésas también las iba a proteger como protegió a Lala? Me lleva. Lo miré derecho tratando de comprenderlo.

Qué le iba a hacer. Le di las gracias y me senté en mi propio jardín con él y una mujer nos ofreció tortillas calientes en un chiquihuite. El viejo me pidió que yo primero y yo repetí el gesto atávico de extraer el pan de los dioses de debajo de su servilleta colorada ligeramente humedecida, sudada, como si la tierra misma se abriera para ofrecerme la magdalena proustiana de los mexicanos: la tortillita bien calientita. (Los que me escuchan recordarán que yo me eché a toda una generación de nenas lectoras de Marcel Proust, y el que lee a Proust, decía uno mi amigo muy nacionalista, ¡se prostituye!) ¡Qué bárbaro!: la realidad es que sentado allí con el viejo patriarca comiendo tortillas calientes con sal me sentí tan a gusto, tan como de regreso en el abrazo de mi mamacita, o algo así, que ya me dije ni modo, vengan las tortillas, a ver esas barriquitas de pulque que vi entrar el otro día al garage; nos trajeron los vasos derramados de licor espeso, curado de piña, y Marco Aurelio de seguro seguía bien noqueado porque de él ni la sombra: yo con las piernas cruzadas en mi propio césped, el viejo dándome de comer, yo preguntándole: ¿Hasta cuándo van a estarse aquí, qué no se aburren, no tienen que regresarse a Morelos, esto puede durar años, se da usted cuenta, señor? Me miró con su mirada inmortal el viejo cabrón, y me dijo que ellos se iban turnando, ¿qué yo no me daba cuenta?, iban y venían, no eran dos veces los mismos, todos los días unos se regresaban y otros llegaban, porque se trataba de hacer un sacrificio por Dimas Palmero y por la Eduardita, pobrecita, también, ¿qué yo no me había dado cuenta?, ¿creía que era siempre la misma gente acá fuera? Se rió un poco, tapándose con la mano la boca molacha: lo que pasaba es que yo de verdad no me fijaba en ellos, de plano los veía a todos igualitos...

Pero cada uno es distinto, dijo de repente el viejo, con una seriedad opaca que me llenó de miedo; cada uno viene al mundo para ayudar a su gente, y aunque la mayor parte se nos mueren chiquititos, el que tuvo la suerte de crecer, ése, señor, es un tesoro para un viejo como yo, ése va a ocuparse de la tierra, ése se va a ir a trabajar allá en el Norte con los gringos, ése se va a venir a la capital a servirle a usted, todos nos van a mandar dinero a los viejos, nomás dígame señor (regresó a su amabilidad habitual) si los viejos no vamos a saber quién

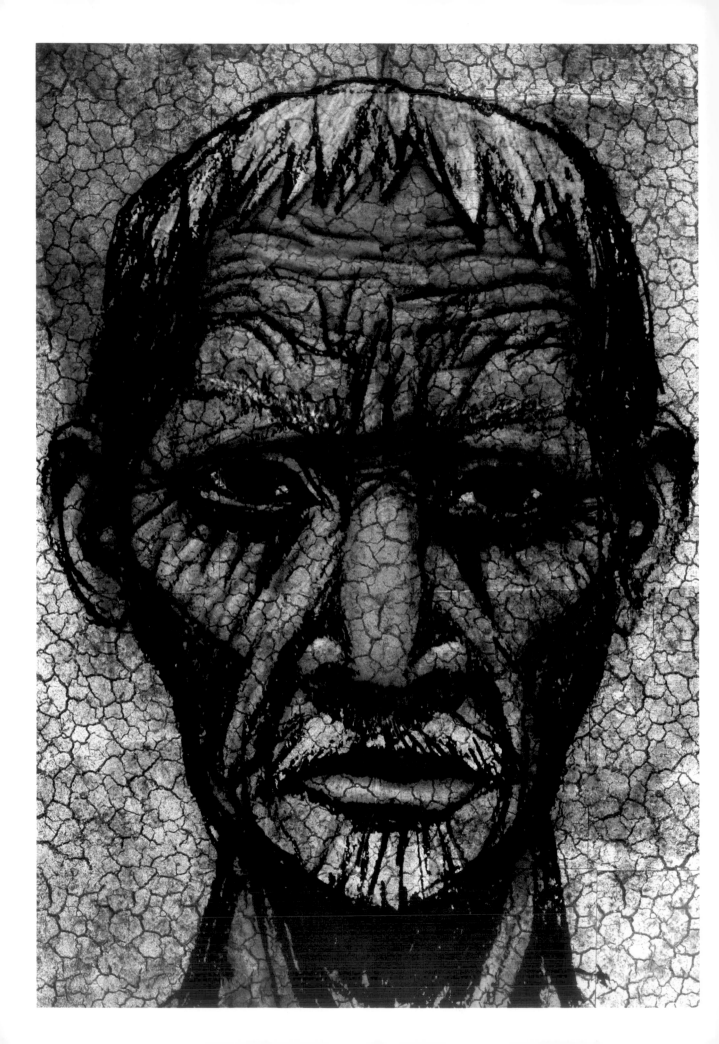

es, cómo se llama, qué anda haciendo, a qué se parece cada uno de nuestros hijos, ¡si dependemos de ellos para no morirnos de hambre cuando nos hacemos grandes! Nomás con una condición, dijo pausando:

—Pobres pero dignos, señor.

Miró por encima de mi hombro, saludó. Yo le seguí la mirada. Marco Aurelio con su camisa blanca y su pantalón negro se acariciaba el mentón, parado a la salida de la casa. Yo me levanté, le di las gracias al viejo, me sacudí el pasto de las nalgas y caminé hacia Marco Aurelio. Sabía que de ahora en adelante, yo iba a andar de puro mocasín todo el tiempo.

5

Esa noche, soñé aterrado con que esa gente podía seguir allí eternamente porque se iría renovando como las generaciones se renuevan, sin importarles un comino el destino individual de nadie, mucho menos el de un abogadito medio elegantioso, con harto colmillo: un rotito de Las Lomas de Chapultepec. Podían aguantar hasta mi muerte. Pero yo seguía sin entender cómo podía mi muerte vengar la de Dimas Palmero, quien languidecía en la cárcel preventiva, en espera de que la tortuga judicial mexicana lo sometiera a juicio. Oyeron ustedes bien. Dije tortuga, no tortura. Eso podía durar años, no lo iba a saber yo. El día que se cumpla el precepto aquel de que nadie puede ser detenido sin ser juzgado más allá del plazo prescrito por la ley, México deja de ser lo que ha sido hasta ahora: el reino de la influencia, el capricho y la injusticia. Se los digo yo y ustedes, les cuadre o no les cuadre, me tienen que oír. Si yo soy el prisionero de Las Lomas, ustedes son los prisioneros de mis teléfonos; ustedes me escuchan.

No crean, he pensado en todo lo que podría hacer con éste mi vínculo hacia el exterior, mi hilo de Ariadna, mi voz humana. Tengo una videocasetera que uso a menudo, dadas mis circunstancias. La pobre de Barbara Stanwyck paralítica en su cama, oyendo los pasos del asesino que sube por la escalera a liquidarla y quedarse con sus millones (¿será su marido? ¡Suspenso!) y ella tratando de llamar a la policía por teléfono y el teléfono descompuesto, una voz contestando: Lo sentimos, número equivocado... Mucha emoción. La voz humana, me dijo una novia francesa... Pero ésta no era una película de la Universal, sino apenas una modesta producción de Filmadora Huaraches o algo así de a tiro pinchurriento. Bueno, ya sé que hablo con ustedes para atarantarme un poco; no crean, sin embargo, que dejo de pensar día y noche en maneras de evadirme. Sería tan fácil, me digo, declararme en huelga de negocios, ya no emplear los teléfonos para hacer lana, descuidar las cuentas de bancos, dejar de hablarles a mis contactos en el exterior, abandonar a mis industriales, mis contadores públicos, mis corredores de bolsa... Rápida conclusión: mi pobreza le importaría una puritita chingada a toda esta gente. No están aquí para sacarme lana. Si yo no los alimentara a ellos, ellos me alimentarían a mí. Sospecho que la cadenita ésta con los campos de Morelos funciona a todo mecate. ¡Si yo me vuelvo pobre ellos me van a socorrer!

Ustedes son hombres y mujeres libres como yo lo fui un día, y me entienden si les digo que a pesar de los pesares, uno no se resigna a perder la libertad así como así. Muy bien: me juraron la muerte si los delataba. Pero, ¿qué tal si lograba escaparme, esconderme, echarles desde fuera la fuerza política? Ni lo intente usted, don Nico, dijo mi recuperado carcelero Marco Aurelio, somos muchos, lo encontraríamos. Se rió: tenían sucursales de la familia en Los Ángeles, en Texas, en Chicago, hasta en París y Londres donde las señoras mexicanas llevaban a trabajar a sus Agripinas, sus Rudecindas y sus Dalmacias... Que no me espantara de ver a un sombrerudo en Jumbo jet llegar al Charles de Gaulle, y hacerme picadillo en el mero París, se carcajeó el muy miserable, jugueteando con su machete que ahora siempre traía colgado, como un pene de repuesto. Lo odié. ¡Miren que un vilnaco de éstos hablarse de tú por tú con el general De Gaulle! ¡Lo que son las comunicaciones instantáneas!

Conocían mis intenciones. Aproveché una de mis fiestas para ponerme el abrigo y el sombrero de un amigo, sin que él se diera cuenta, mientras todos bebían la última botella de Taitinger (fue el pretexto de la fiesta) y comían

exquisitos canapés preparados por la gorda cuadrada de la cocina, doña Lupe (¡un genio, esa mujer!); con el sombrero zambutido hasta las orejas y las solapas levantadas, me escurrí por la puerta abierta esa noche (y todas las noches: deben ustedes saber que mis carceleros ya no se imaginaban que yo pudiera escaparme, ¿para qué?, ¡si mi vida era la de siempre!: yo adentro con mis fiestas y mis teléfonos; ellos afuera, invisibles: ¡lo de siempre!). Digo, ya no cerraban con llave las puertas. Pero yo me disfracé y me escurrí a la puerta porque no quería aceptar la fatalidad del encierro impuesto por otros. Lo hice sin importarme mi éxito o mi fracaso. La puerta, la libertad, la calle, el Jumbo a París, aunque me recibiera, rodillo en mano, Rudecinda la prima de Marco Aurelio...

—Se le olvidó amarrarse los zapatos, don Nico —me dijo Marco Aurelio, charola en alto colmada de canapés mirándome los pies y cerrándome el paso de la puerta principal.

Me reí; suspiré; me quité el abrigo y el sombrero; regresé con mis invitados.

Lo intenté varias veces, por no dejar, por motivos de amor propio. Pero una vez no pasé del jardín porque las niñas, instintivamente me rodearon, formaron círculo y me cantaron *Doña Blanca*. Otra vez, escapando de noche por el balcón, me quedé colgando de las uñas cuando oí a un grupo a mis pies cantándome una serenata: ¡era mi cumpleaños y se me había olvidado! Felicidades, don Nico, ¡y éstas son las mañanitas que...! Me lleva: ¡cincuenta primaveras en estas circunstancias!

Desesperado, apelé a la estrategia de Montecristo: me hice el muerto, bien tieso en mi cama; por no dejar, digo, para tocar todas las bases. Marco Aurelio me aventó un cubetazo de agua fría y grité, y él también de pie, don Nico, cuando se me muera, yo seré el primero en hacérselo saber, no faltaba más. ¿Llorarás por mí, cabrón Marco Aurelio? ¡Me lleva! Pensé en envenenar a mis carceleros inmediatos, el camarero Marco Aurelio, la cocinerapera, el chofermomia; pero no sólo sospeché que otros se apresurarían a reemplazarlos, sino que temí (¡inconsecuente de mí!) que así como el proceso contra el desgraciado de Dimas Palmero se arrastraba indefinidamente, la acción contra mí por envenenar a mi servidumbre iba a ser fulminante, escandalosa, un clarinazo en la prensa:

¡millonario desalmado envena a sus fieles servidores! De tarde en tarde, hay que echarles peces gordos a los tiburones, bien hambrientos, de la justicia... Además, cuando yo entraba a la cocina doña Lupe era tan cariñosa conmigo, siéntese nomás, don Nico, ¿a que no sabe lo que le preparé hoy?, ¿no huele usté?, ¿no le gustan sus calabacitas con queso?, ¿o prefiere lo qué nos preparamos para nosotros, unos chilaquilitos en salsa verde? Se me hacía agua la boca y le perdonaba la vida; el chofer y el mozo se sentaban a comer con doña Lupe y conmigo, me contaban historias, eran bien divertidos, me recordaban, me recordaban a...

¿Qué por qué no le conté mi situación a las chamacas que pasaban por mis fiestas y por mi cama? ¿Cómo se les ocurre semejante cosa? ¿Se imaginan el ridículo, la incredulidad? Pues sal cuando quieras, Nicolás, ¿quién te lo impide? Me matarían, monada. Pues te voy a salvar, yo le voy a avisar a la policía. Te matarían a ti junto conmigo, mi amor. ¿O prefieres vivir huyendo, a salto de mata? Claro que nunca les dije nada, ni ellas se las olieron. ¡Yo tenía fama de solitario! Y ellas venían a consolarme por la muerte de la Lala. A mis brazos, divinidades, que la vida es corta, aunque la noche sea larga.

6

La vi. Les digo que ayer la vi, en el jardín.

7

Llamé a un amigo mío, influyentazo en la Procuraduría: ¿Qué se decía del caso de mi mozo, Dimas Palmero? Mi amigo se rió nomás y me dijo: Se dice lo que tú

quieras, Nicolás. Ya sabes: si tú quieres, lo tenemos entambado en la preventiva hasta el día del juicio final; si lo prefieres, adelantamos el juicio final y mañana mismo te lo juzgamos; si lo que te cuadra es verlo libre, se arregla y mira Nicolás, paquéhacernosguajes, hay gente que desaparece, nomás desaparece. A ti se te estima. Como gustes, te repito.

Como guste. Estuve a punto de decirle: No, si el tal Dimas o Diretes o como se llame me tiene sin cuidado, si el preso de a de veras soy yo, óigame, mi abogado, rodeen la casa, armen la grande, masacren a esta bola de patarrajadas...

Le agradecí sus ofrecimientos a mi amigo y colgué sin indicarle mi preferencia. ¿Por qué? Hundí la cabeza en la almohada. De Lala ya no quedaba ni el aire. Me rasqué el coco pensando, ¿qué debo pensar?, ¿qué combinación me falta?, ¿qué posibilidades he dejado en el tintero? Se me iluminó el pensamiento; decidí precipitar las cosas. Bajé a la cocina. Era la hora en que comían Marco Aurelio, doña Lupe y el chofer con cara de Ruiz Cortines. Los aromas de puerco en verdolaga ascendían por la escalera rococó, más fuertes que el perfume, para siempre desvanecido, de Lala —la Eduardita, como le decían ellos—. Bajé acusándome a mí mismo con furia: ¿en qué pensaba?, ¿por qué mi incuria feroz?, ¿por qué sólo pensaba en mí, no en ella, que era la víctima, después de todo? Me merecía lo que me pasaba; yo ya era el prisionero de Las Lomas desde antes de que ocurriera todo esto, era el preso de mis propios hábitos, de mi comodidad, de mis negocios fáciles, de mis amores facilísimos. Pero también —dije cuando mis pies desnudos tocaron la losa fría del salón— estaba encadenado por una suerte de devoción y respeto hacia mis novias: no inquiría, no les averiguaba y si ellas me daban a entender: Yo no tengo pasado, Nico, mi vida comenzó en el instante en que nos conocimos, yo quizás tarareaba un bolero como todo comentario, pero hasta ahí nomás.

Estaban sentaditos los tres merendando a sus anchas.

—¿No convidan? —dije muy amable yo.

Doña Lupe se levantó a servirme un plato. Los dos hombres ni se movieron, aunque Marco Aurelio hizo un gesto para que me sentara. El chofer nomás me miraba sin parpadear desde el fondo imperturbable de sus ojeras.

—Gracias. Bajé a hacer una pregunta nada más. Se me ocurrió que lo importante para ustedes no debe ser tenerme a mí encerrado aquí, sino que Dimas salga libre. ¿Así es, verdad?

La cocinera me sirvió el aromático guiso de puerco con verdolagas, y comencé a comer, mirándolos. Había dicho lo mismo que ellos me habían dicho siempre: usté sale de aquí el día que nuestro Dimas Palmero salga de la cárcel. ¿Por qué ahora esas miraditas entre ellos, ese aire de desconfianza, si no hice más que repetir lo que todos sabíamos; la regla no escrita de nuestra relación? Viva el derecho estatutario, y abajo la *common law*, que se presta a toda clase de interpretaciones y depende demasiado de la moral y del sentido del humor de las gentes. Pero estos campesinos de Morelos debían ser como yo, herederos del derecho romano, donde sólo cuenta lo que está escrito, no lo que hace o se deja de hacer, aunque esto último viole la letra de la ley. La ley es majestuosa señores y sobrevive a todas las excepciones. Las tierras de estas gentes siempre habían dependido de un estatuto, de una cédula real; y ahora sentí que mi vida también iba a depender de un contrato escrito. Miré las miradas de mis carceleros que se miraban entre sí.

—Díganme si están de acuerdo en poner esto por escrito: El día que Dimas Palmero salga libre de la peni, Nicolás Sarmiento sale libre de Las Lomas. ¿De acuerdo?

Empecé a enervarme; no me contestaban; se miraban entre sí, sospechosos, taimados, les digo a ustedes, con caras de gatos escaldados los tres. ¡Pero si yo no hacía más que pedirles que confirmaran por escrito lo que ellos mismos me habían propuesto! ¿Ahora por qué todo este sospechosismo repentino?

—Lo hemos estado pensando, don Nico —dijo al cabo Marco Aurelio— y llegamos a la conclusión de que de repente usted hace que liberen a nuestro hermano Dimas Palmero; en seguida, nosotros lo soltamos a usted; pero usted se nos pela; y luego la justicia vuelve a caerle encima a Dimas.

—Y de paso a nosotros —dijo sin suspirar la cocinera.

—Esa jugada nos la han hecho un montón de veces —dijo desde la tumba el chofer pálido y ojeroso, arreglándose el pelo ralo con un peine de uñas.

—Dile, dile —insistió con increíble fuerza la cocinera desde la elegante estufa eléctrica, sólo que ella, por atavismo, le soplaba con los labios y las manos, como si fuera un brasero. ¡Vieja idiota!

—Pues que la condición por escrito, don Nico, va a ser que usted se declare culpable de la muerte de la Eduardita y así nuestro hermano no puede ser juzgado por un crimen que otro cometió.

No les voy a dar el gusto de escupir la carne de cerdo (que además está muy sabrosa), ni de derramar el vaso de tepache que, muy serena, la doña ésta me acaba de colocar frente a las narices. Voy a darles una lección de ecuanimidad, aunque la cabeza me esté dando de vueltas, como un tiovivo.

—Ése no era nuestro acuerdo original. Llevamos encerrados aquí más de tres meses. Nuestro acuerdo ya sentó jurisprudencia, como quien dice.

—A nosotros nadie nos respetó nunca los acuerdos —dijo de repente la cocinera, agitando con furia las manos frente a la parrilla eléctrica, como si fueran abanicos de petate.

—Nadie —dijo sepulcralmente el chofer—. A nosotros nomás nos mandaron siempre a la chingada.

¿Y yo iba a ser el pagano por todos los siglos de injusticia contra los campesinos de Morelos? No supe si reír o llorar. La mera verdad, no supe qué decir. Estaba demasiado ocupado asimilando mi nueva situación. Abandoné el platillo y salí de la cocina sin despedirme. Subí los escalones sintiendo que mi cuerpo era un amigo enfermo al que yo seguía a duras penas. Me senté en un excusado y allí me quedé dormido. Pero hasta los sueños me traicionaban. Soñé que ellos tenían razón. Me lleva. Ellos tenían razón.

8

—Y son ustedes los que me despiertan, con un campanazo hiriente, con un zumbido alarmado, llamándome por teléfono, preguntándome urgidos, compadeci-

dos al cabo de mí: Pero ¿por qué no les preguntas por ella? ¿Por quién?, digo haciéndome el tarugo. Por Lala, la Eduarda, la Eduardita, como la llaman ellos, la Lala, la... ¿Por qué? ¡Allí debe andar la clave de todo este asunto! No sabes nada, ¿por qué el altercado entre Lala y Dimas junto a la piscina? ¿Quién era la Lala? Toda esa gente te tiene sitiado a causa de ella, o de él o de los dos. ¿Por qué no averiguas esto? ¡So tarugo!

Los dos. Me río de vuelta, sentado dormido en la taza del excusado, con los pantalones del pijama enrollados alrededor de los tobillos, hecho un estúpido: Los dos, han dicho ustedes, sin darse cuenta de todo lo que yo no puedo concebir, ni quiero pensar siquiera, ella y otro, ella con otro, no soporto ese pensamiento, y ustedes se ríen de mí, escucho sus carcajadas por el hilo telefónico, me despiertan, me acusan, ¿tú de cuando acá tan delicado y sentimental?, tú que has tenido decenas de viejas igual que docenas de viejas te han tenido a ti, tú y ellas parte de una ciudad y de una sociedad que en un par de generaciones dejó atrás toda mojigatería católicocantábricacolonial y se dedicó con alegría a coger sin ver a quién, tú que sabías que tus viejas venían de otros e iban hacia otros, como ellas sabían que tú no eras un monje antes de conocerlas ni lo serías al dejarlas: tú, Nicolás Sarmiento, tenorio de pacotilla, ¿nos vienes a contar ahora que no concibes a tu Lala en brazos de Dimas Palmero? ¿Por qué? ¿Te da asco pensar que se acostaba con un criado? ¿Tu honor es social más que sexual, o qué? ¡Cuéntanos! ¡Despierta ya!

Les digo que la vi en el jardín.

Me levanto lentamente del excusado, me levanto los pantalones, no necesito atarlos, son de resorte, a Dios Gracias, soy un inútil para la vida diaria, sólo soy genial para los negocios y el amor; ya perdónenme la vida, ¿qué no?

Miren hacia el jardín, desde la ventana de mi recámara.

Díganme si no la ven, de pie, con sus trenzas, una rodilla ligeramente doblada, mirando hacia la barranca, tan sorprendida de estar capturada entre la ciudad y la naturaleza, sin saber bien dónde empieza una y termina la otra, sin saber cuál imita a cuál: la barranca no huele a monte, huele a ciudad sepultada y la ciudad ya no huele a ciudad, huele a naturaleza enferma: ella añora el campo mirando hacia la barranca, ahora doña Lupe sale a tomar el fresco, se acerca a la muchacha, le pone una mano sobre el hombro y le dice que no esté triste, ni modo, ahora están en la ciudad y la ciudad puede ser fea y dura, pero el campo también, el campo es tan violento o más que la ciudad, yo te podría contar viejas historias, Eduarda...

A ustedes se los digo de frente. Lo único que salva a mi vida es el respeto que le he tenido a mis mujeres. Ustedes pueden condenarme como un tipo egoísta, o frívolo, o desdeñoso, o manipulador, o pendejo para amarrarse los zapatos. Lo único de lo que no pueden acusarme es de meter las narices en lo que no me importa. Creo que eso es lo único que me ha salvado. Creo que por eso me han amado las mujeres: no les pido explicaciones, no les averiguo su pasado. Nadie debe averiguar el pasado de los demás en una sociedad tan cambiante como la nuestra. ¿De dónde vienes? ¿Cómo hiciste tu lana? ¿Quiénes eran tu papá y tu mamá? Cada una de nuestras preguntas puede ser una herida que nunca se cierra. Y que nos impide amar o ser amados. Todo nos traiciona: el cuerpo dice ser una cosa y un gesto nos revela que es otra, las palabras se traicionan a sí mismas, la mente nos engaña, la muerte le miente a la muerte... Mucho cuidadito.

9

Vi a Lala esa tarde en mi jardín, cuando no era nadie, cuando era otra, cuando miraba con ensoñación hacia una barranca. Cuando era virgen. La vi y me di cuenta de que tenía un pasado y de que yo la amaba. De manera que ésta era su gente. De manera que esto era todo lo que quedaba de ella, su familia, su gente, su tierra, su nostalgia. Dimas Palmero, ¿era su amante o su hermano, vengativos ambos? Marco Aurelio, ¿era realmente el hermano de Dimas o, quizás, el de la Eduardita? ¿Qué parentesco tenían con ella la cocinera doña Lupe, el chofer ojeroso, el viejo patriarca remendado?

Me vestí, bajé a la sala. Salí al jardín. Ya no tenía caso que me impidieran el paso. Todos conocíamos las reglas, el contrato. Algún día nos sentaríamos a escribirlo y formalizarlo. Me paseé entre los niños corretones, tomé sin pedir permiso una cecina, me sonrió una gorda chapeteada, saludé cortésmente al viejo, el viejo levantó la mirada y se apoderó de la mía, me ofreció la mano para que lo ayudara a levantarse, me miró con una intensidad increíble, como si sólo él pudiese ver ese segundo cuerpo mío, mi compañero cansado que me seguía a duras penas por la vida.

Ayudé al viejo a levantarse y luego él me tomó el brazo con una fuerza tan increíble como su mirada, que me decía: "Me haré viejo pero nunca me moriré. Usted me entiende." Me condujo hasta la reja de mi casa. La muchacha seguía allí de pie, con doña Lupe abrazada a ella, rodeándole con un abrazo enorme los hombros. Nos acercamos y se acercó también Marco Aurelio, entre chiflando y fumando. Éramos un curioso quinteto, esa noche en Las Lomas de Chapultepec, lejos de la tierra de ellos, Morelos, el campo, la caña, el arrozal, las azules montañas escultóricas, cortadas a pico, secretas, por donde se dice que todavía anda el gran guerrillero Zapata, el gran guerrillero inmortal, en su caballo blanco...

Me acerqué a ellos. Más bien: me acercó el viejo patriarca que también había decidido ser inmortal, y el viejo casi me forzó a juntarme, a abrazarme a los demás. Miré a la muchacha linda, morena, lozana como esas naranjas dulces, naranjas de ombligo incitante y un zumo que se evapora solito bajo el sol. Toqué el brazo moreno y pensé en Lala. Sólo que esta niña no olía a perfume, olía a jabón. De manera que ésta era su gente, repetí. De manera que esto era todo lo que quedaba de ella, de su gracia felina, de su capacidad fantástica para aprender los ritos y mimetizar las modas, hablar lenguas, ser independiente, enamorarse y enamorarme, liberar su bello cuerpo de rumberita nalgona, agitar sus senos pequeños y dulces, mirarme orgásmicamente, como si un río tropical le pasara de repente por los ojos al quererme, ay mi Lala adorada, sólo esto queda de ti: tu tierra rebelde, tus parientes y hermanos campesinos, tu provincia como una piscina genética, tan sangrienta como la alberca donde te

moriste, Lala, tu tierra como una reserva líquida inmensa de brazos baratos para cortar la caña y abrir el surco húmedo del arroz, tu tierra como la fuente inagotable de obreros para la industria y criadas para las residencias de Las Lomas y secretarias mecanógrafas para los ministerios y dependientas de los grandes almacenes y puesteras de los mercados y pepenadores de los basureros y coristas del teatro Margo y estrellitas del cine nacional y atornilladoras veloces de las maquiladoras de la frontera y meseras de las cadenas de Taco Huts en Texas y criadas de las residencias como las mías en Beverly Hills y jóvenes maestras en Chicago y jóvenes abogadas como yo en Detroit y jóvenes periodistas en Nueva York: todas salidas del manantial moreno de Morelos, Oaxaca, Guanajuato, Michoacán y Potosí, todas aventadas al mundo por el remolino de la revolución, la guerra, la libertad, el auge de unos, el desempleo de otros, la audacia de pocos, el desdén de muchos... la libertad y el crimen.

Lala tenía, después de todo, un pasado. Sólo que yo no lo había imaginado.

10

No fue necesario formalizar trato alguno. Todo esto venía de muy lejos, de cuando el padre de mi noviecita santa Buenaventura del Rey me dio la clave, pues, para chantajear al general Prisciliano Nieves en su lecho de hospital y obligarlo a heredarme su caserón de Las Lomas a cambio de su honor de héroe de la Santa Eulalia. Ustedes que me escuchan ya habrán pensado lo mismo que yo: ¿por qué al padre de Buenaventura no se le ocurrió usar esa misma información? Y la respuesta la conocen tan bien como yo. En este mundo moderno sólo pega con tubo la gente que sabe usar la información. Es la receta del poder actual y a los que dejan que la información se les escape de entre las manos, se los lleva Judas. Allá los pendejos como el papacito de Buenaventura del Rey. Acá los chingones como Nicolás Sarmiento su servidor. Y en medio esta gente pobre y buena que no tiene información, sólo tiene memoria y la memoria le duele.

A veces, audaz de mí, eché piedrecitas al estanque genético que digo, no-más por no dejar. ¿La Santa Eulalia? ¿La Zapotera? ¿El general Nieves en cuya casa de Las Lomas estábamos metidos todos, sin saberlo ellos y yo bien informado, ¡faltaba más!? ¿Qué sabían? En mi computadora fueron entrando los nombres y orígenes de este mar de gente que me servía, la mayor parte proveniente del estado de Morelos, que después de todo es del tamaño de Suiza. ¿Dimas Palmero tenía información?

(¿De manera que vienes de La Zapotera en Morelos? Sí don Nico. ¿Conoces entonces la hacienda de la Santa Eulalia? Cómo no, don Nico, pero llamarla hacienda... usted sabe, sólo queda un casco quemado. Es lo que se llama un ingenio azucarero. Ah sí, seguro que allí jugabas de niño, Dimas. Así es, señor licenciado. ¿Y se contaban historias? Pues claro que sí. ¿Ahí debe estar todavía el muro donde mandaron fusilar a la familia Escalona? Sí, mi abuelo era uno de los que iban a matar. Pero tu abuelo no era patrón. No, pero el coronel éste dijo que por igual iba a despacharse a los amos y a los que les servían. ¿Entonces qué pasó? Pues que el otro comandante dijo que no, los soldados mexicanos no asesinan al pueblo porque son pueblo. ¿Y entonces, Dimas? Pues se cuenta que el primer militar dio orden de fuego contra los patrones y los criados, pero el segundo militar dio contraorden. Entonces la tropa disparó primero contra el primer militar, y luego contra la familia Escalona. No disparó contra los sirvientes. ¿Y luego? Pues cuentan que la tropa y los criados se abrazaron y lanzaron vivas, señor licenciado. ¿Y tú no recuerdas cómo se llamaban esos militares, Dimas? No, de eso nomás se acuerdan los viejos. Pero si quiere me hago informar, don Nico. Gracias Dimas. Para servirlo, señor.)

11

Sí, me imagino que Dimas Palmero tendría alguna información, quién sabe, pero estoy seguro de que sus parientes, metidos en mi jardín, tendrían memoria.

Me acerqué a ellos. Más bien: me acercó el viejo patriarca y casi me forzó a juntarme, a abrazarme a los demás. Miré a la muchacha linda, morena. Toqué el brazo moreno. Pensé en Lala. Doña Lupe abrazaba a la muchacha. Entonces el abuelo de pelo azulenco, este viejo arrugado como un viejo papel de seda, apoyado en el cuerpo sólido de la cocinera y jugueteando con la trenza de la muchacha chapeteada, mirando todos juntos el atardecer de la barranca de Las Lomas de Chapultepec, ansioso yo de confirmar si ellos tenían una memoria colectiva aunque ineficaz de su propia tierra mientras yo, en cambio, tenía información sobre esa misma tierra, información sólo para mí y para mi provecho, traté de averiguar si los nombres les decían algo, ¿recordaba el viejo los nombres?, ¿Nieves?, ¿le decía algo el nombre Nieves? ¿Solomillo?, ¿recordaba esos nombres antiguos?, dije sonriendo, muy quitado de la pena, viendo si la ley de probabilidades enunciada por mi computadora se cumplía o no: los militares, la muerte de la familia Escalona, la Santa Eulalia, La Zapotera... Uno de ésos que usté dice dijo que iba a liberarnos de la servidumbre, dijo de lo más tranquilo el viejo, pero cuando el otro nos puso a todos, a los patrones y nosotros los sirvientes frente al paredón, Prisciliano, sí, Prisciliano, ahora me acuerdo, dijo: "Los soldados mexicanos no asesinan al pueblo porque son el pueblo", y el otro militar dio la orden de fuego, Prisciliano dio la contraorden, y la tropa disparó primero contra Prisciliano, luego contra los patrones y en seguida contra el segundo militar.

—¿Solomillo? Andrés Solomillo.

—No, padre, se hace usted bolas. Primero fusilaron a los patrones, luego los jefes revolucionarios se mataron entre sí.

—Total que todos se murieron —dijo con una como tristeza resignada el viejo sobreviviente.

—Uy, hace tanto tiempo, papá.

—Y ustedes, ¿qué pasó con ustedes?

—La tropa gritó vivas y tiraron su gorros al aire, nosotros aventamos los sombreros al aire también, todos nos abrazamos y se lo juro, señor, nadie que estuvo presente esa madrugada en la Santa Eulalia olvidó nunca la famosa frase, los soldados mexicanos son pueblo... Bueno, lo importante, de veras, fue que nos quedamos sin patrones primero y en seguida sin jefes.

Se quedó un rato mirando a la barranca y dijo *y no nos sirvió para nada.*

El viejo se encogió de hombros, a veces se le iba la memoria, era cierto, pero de todos modos, se contaban tantas historias diferentes sobre los sucesos de la Santa Eulalia, que casi casi valía la pena aceptarlas todas; era la única manera de no equivocarse, se rió el viejo.

—Pero entre tanto muerto, ni modo de saber quién sobrevivió y quién no.

—No padre, si usted no se acuerda, ¿quién se va a acordar?

—Ustedes —dijo el viejo—. Pa eso se los cuento. Así ha sido siempre. Los hijos recuerdan por uno.

—¿Dimas conoce esta historia? —me atreví a preguntar, mordiéndome en seguida la lengua por mi audacia, mi precipitación, mi... El viejo no se inmutó.

—Todo eso pasó hace tanto tiempo. Pero yo era niño entonces y los soldados nomás nos dijeron, sean libres, ya no hay hacienda, ni hacendado, ni jefes, ni nada más que la libertad, nos quedamos sin cadenas, patroncito, libres como el aire. Y ya ve usté dónde terminamos, sirviendo siempre, o en la cárcel.

—Pues que vivan las cadenas —se rió, entre angustiado y cínico, Marco Aurelio que en ese momento pasaba empinándose una dos equis y yo me le quedé mirando, pensé en la Eduarda de niña, cómo debió luchar para llegar a mis brazos, y pensé en Dimas Palmero encadenado, y en cómo él seguiría allí, con su memoria sin saber que la memoria era información, Dimas en su cárcel sabiendo lo mismo que sabía todo el mundo: Prisciliano Nieves fue el héroe de la Santa Eulalia, mientras que el viejo sabía lo que Dimas olvidó, ignoraba o rechazaba, para parecerse a la memoria del mundo y no a la de su pueblo: Prisciliano Nieves había muerto en la Santa Eulalia; pero ninguno de los dos sabía convertir su memoria en información y mi vida dependía de que no lo hicieran nunca, de que su memoria, exacta o inexacta, se quedara congelada para siempre, una memoria prisionera, ¿me entienden todos ustedes mis cómplices?, la memoria prisionera de ellos y una información prisionera desde ahora, la mía, y yo aquí, sin moverme de mi casa, inmóviles los dos, prisioneros los dos y todos contentos, y por eso le dije en seguida a Marco Aurelio: Oye, cuando visites a tu hermano dile que no le va a faltar nada, ¿me oyes?, dile que lo cuidarán bien, se los prometo, hasta puede casarse y recibir visitas conyugales, ya saben: ya oí decir aquí en la casa que le gusta esta muchacha chapeteada de brazos descubiertos, pues que se case con ella, no se la vaya a volar un genízaro armado de éstos, ya ves cómo son, Marco Aurelio, pero dile a Dimas que no se preocupe, que cuente conmigo, yo le pago la boda y le pongo dote a la muchacha, díganle que yo me encargo de él y de ustedes, todos bien cuidaditos, qué le vamos a hacer, piensen por lo menos que ya no les va a faltar nada, ni a ustedes aquí ni a Dimas en la Peni, él no tiene que trabajar, pero ustedes tampoco, yo me ocupo de la familia, resignémonos a que nunca va a aparecer el verdadero criminal: ¿quién mató a la Eduarda?, ¡vaya a saber!, válgame Dios, si cuando una muchacha así se viene a la ciudad y se hace independiente, ni ustedes ni yo ni nadie es culpable de nada...

Eso decidí. Prefería quedarme con ellos y dejar a Dimas en la cárcel, que declararme culpable o colgarle el crimen a otro. Ellos entendieron. Pensé en Dimas Palmero encadenado y pensé en el día que yo me le presenté en su cuarto de hospital al brigadier Prisciliano Nieves.

El brigadier agónico, Prisciliano Nieves, me miró con una caradura colosal. Supe en ese momento que todo le valía sorbete y que no iba a inmutarse.

—¿Tiene usted herederos, salvo sus criados? —le dije y el viejo de seguro no esperaba esta pregunta, que yo le hice agarrando un espejo de mano que descansaba sobre la silla vecina al lecho, y que puse frente al rostro enfermo del general, remachando así la sorpresa.

Quién sabe qué miró allí el falso Prisciliano.

—No, no tengo a nadie.

Yo, bien informado, ya lo sabía. El viejo dejó de mirar la cara de su muerte y miró la mía, joven, abusada, semejante, quizá a la de su propio anonimato juvenil.

—Mi general, usted no es usted. Firme aquí, por favor, y muérase tranquilo.

A cada cual su memoria. A cada cual su información. El mundo creía que

Prisciliano Nieves mató a Andrés Solomillo en la Santa Eulalia. El viejo patriarca instalado en mi casa sabía que todos se mataron entre sí. Eso mismo sabía el papacito de mi primera novia Buenaventura del Rey, pagador del Ejército Constitucionalista. Entre las dos memorias mediaban los veinticinco años de mi prosperidad. Pero Dimas Palmero, en la cárcel, creía lo mismo que todo el mundo: que Prisciliano Nieves fue el héroe de la Santa Eulalia; el sobreviviente y el justiciero. ¿Información o memoria? La verdad es que Prisciliano Nieves murió, junto con Andrés Solomillo, en la Santa Eulalia, cuando el primero dijo que los soldados del pueblo no matan al pueblo y el segundo le demostró lo contrario allí mismo y, apenas caído Prisciliano, el propio Solomillo fue acribillado por la tropa. ¿Quién usurpó la leyenda de Prisciliano Nieves? ¿Cómo se llamaba? ¿Quién se aprovechó del holocausto de los jefes? Alguien tan anónimo como los seres que han invadido mi jardín y rodeado mi casa, sin duda. A este señor yo lo visité una mañana en el hospital y lo chantajié. Yo convertí la memoria en información. El papá de Buenaventura y el viejo remendado que se instaló en mi jardín se quedaron con la pura memoria, pero sin la información. Dimas Palmero se quedó con información pero sin memoria. Sólo yo tenía las dos cosas pero ya no podía hacer nada con ellas, sino asegurar que todo siguiera igualito, que nada se pusiera en duda, que a Dimas Palmero no se le ocurriera transformar la memoria de su clan en información, que ni la memoria ni la información le sirvieran ya nunca a nadie más, sino a mí. Pero el precio de esta inmovilidad era que yo siguiera para siempre en mi casa de Las Lomas, Dimas Palmero en la cárcel y su familia en mi jardín.

¿Era yo, al cabo, el que ganaba, o el que perdía? Eso se lo dejo a ustedes que lo decidan. Ustedes, a través de mis líneas telefónicas, han escuchado todo lo que llevo dicho. He sido perfectamente honesto con ustedes. He puesto todas mis cartas sobre la mesa. Si hay hebras sueltas en mi relato, ustedes pueden, ahora, atarlas y hasta hacer cachirulos con ella. Mi memoria y mi información son suyas. Tienen derecho a la crítica y también a proseguir la historia, voltearla como un tapiz y tejer de nuevo la trama, indicar las faltas de lógica y creer que han resuelto todos los enigmas que yo, narrador abrumado por la

vivencia de los hechos, he dejado escapar por la red de mis teléfonos, que es la red de mis palabras.

Pero, de todos modos, apuesto que no sabrán qué hacer con lo que saben. ¿No se los dije desde el principio? Esta historia es increíble.

Ahora yo ya no tenía por qué exponerme y luchar. Yo ya tenía mi lugar en el mundo, mi casa, mis criados y mis secretos. Yo ya no tenía los güevos necesarios para presentármele en la cárcel a Dimas Palmero y preguntarle qué sabía de Prisciliano Nieves o qué sabía de la Lala, ¿por qué la mataste? ¿Por ti solo? ¿El viejo te lo ordenó? ¿Por el honor de la familia? ¿O por el tuyo?

—Lala —suspiré—, mi Lala...

Entonces pasaron por los jardines de Virreyes las muchachas en zancos, saltando como canguros núbiles, vestidas con sus sudaderas con nombres de universidades yanquis y sus pantalones de mezclilla con walkman ensartados entre cintura y bluejean y un aspecto fantástico, de marcianas, operadoras de radio, telefonistas, pilotas aviadoras, todo junto, con sus audífonos negros en las orejitas, saltando con sus zancos clásticos sobre las bardas que dividen a las propiedades de Las Lomas, saltos olímpicos, preciosos, saludándome, invitándome a seguirlas, buena onda ésta, que las siga a la fiesta, que me arriesgue con ellas, dicen, vamos todos de colados a las fiestas, así es más divertido, pasando como liebres, como hadas, como amazonas, como furias, haciendo caso omiso de la propiedad privada, reclamando sus derechos a la diversión, la comunidad, el relajo, qué sé yo... Libres, jamás me exigirían nada, nunca me pedirían que me casara con ellas, ni meterían las narices en mis negocios, ni descubrirían mis secretos más íntimos, como lo hizo la vivilla de la Lala... Ay Lala, ¿para qué serías tan ambiciosa, por qué no te quedaste en tu pueblo y con tu gente? Nos has hecho prisioneros a tu hermano y a mí.

Las saludé de lejos, rodeado de criados, adiós, adiós, les mandé un beso con la mano y me sonrieron libres, preciosas, deslumbrantes, deslumbradas, invitándome a seguirlas, a abandonar mi prisión y yo las saludé y hubiera querido decirles: No, no soy yo el prisionero de Las Lomas, no, ellos son mis prisioneros, un pueblo entero...

Entré a la casa y desconecté mi banco de teléfonos. Las cincuenta y siete líneas por las que ustedes me escucharon. No tengo nada más que contarles. Pronto no habrá nadie que repita estas ficciones, y todo será verdad. Les agradezco su atención.

Mayo de 1987
Merton House, Cambridge